CW00550392

A Velasco, al quale vedo rapidamente crescere le ali.
Con la speranza di poter essere per lui, anche solo in
minima parte, quel che suo padre è stato per me.

To Velasco, whose wings I see growing swiftly.
Hoping to be for him, even in the smallest part,
what his father has been for me.

Tom Porta

Camera Paintings Volume I

Aces High

[eIsIs-haI]

Il volo di Icaro

Il muro della mia stanza di adolescente fu, per un certo periodo, ricoperto di poster dei KISS, che alla metà degli anni settanta erano veramente un fenomeno.
Certo non in Italia ma la mia fortuna fu proprio quella di conoscere un ragazzino americano in campeggio che mi mostrò i suoi albi della KISS ARMY, il fan club ufficiale.
Fu una folgorazione immediata che mi avrebbe portato, anni dopo, molto lontano, a inseguire un sogno.
A quell'epoca non vi era l'abuso dell'aggettivo rock'n'roll che oggi spunta sulle labbra di ogni giovane autore di MTV per indicare che ha fatto tardi ed è tornato a casa un po' brillo con il numero di telefono di una ragazza.
Il muro della mia stanza era rock'n'roll.
Era lì che sognavo, ed era lì la finestra sul mondo, al quarto piano di un bilocale nel quartiere Città Studi, a Lambrate, Milano.
Un giorno infausto però accadde una tragedia.
Qualcosa di inimmaginabile.
La mia professoressa di italiano e storia, una megera con una falsa boccuccia a cuore e i capelli di un rosso impossibile volle parlare con mio padre. Era un sabato, lo ricordo chiaramente.
Non capii perché poi volle vedere mio padre e non mia madre che avrebbe forse dato qualche chance di più alla mia versione dei fatti. Così non fu e tornati a casa accadde l'inevitabile.
In un moto d'ira mio padre strappò ogni singolo poster dal muro. Tutti, completamente distrutti.
Una montagnetta di carta strappata al centro della stanza.
Fine.
La parete vuota della mia stanza era ora la parete di una cella.
Avrei passato settimane struggendomi in equilibrio tra un'infanzia non facile in irrimediabile declino e una adolescenza che avrebbe gettato le basi per l'uomo in divenire.
Sul muro, oltre i piccoli strappi del nastro adesivo che tenevano incollati i miei sogni di rock'n'roll e libertà c'erano ancora delle piccole tracce di quel che era stato su quel muro qualche anno prima.
Non lo ricordavo quasi più, era un mondo tramontato che sarebbe riapparso nella mia vita solo molti anni dopo.
Quel muro era stato teatro di altri sogni.
Certo non qualcosa che fu incoraggiato o alimentato o che io potessi toccare.
Il motivo per cui erano rimasti degli aloni sulla parete è perché era lì che mio padre appendeva con un filo di nylon i modellini che faceva.
Io non potevo partecipare al gioco perché avrei sporcato ed ero, in linea di massima, ritenuto imbranato.
Però me li guardavo per ore e cercavo di capire la tecnica per montarli e dipingerli.
Mi sfuggiva ovviamente il perché non ci si potesse giocare dopo ma bisognasse solo osservarli e trattarli con una delicatezza a me sconosciuta.
Ne ricordo vividamente tre, un Mosquito marrone e verde, uno Ju88 da caccia notturna, mimetizzato grigio con i vermicelli scuri e poco tempo dopo, maestoso, in scala 1/32, uno Spitfire.
Non ne conoscevo la storia o i nomi ma le illustrazioni sulle scatole e i fumetti di guerra in bianco e nero, allora molto popolari, mi introdussero in un mondo al quale già appartenevo senza esserne conscio.
Qualche tempo dopo, assolutamente in modo accidentale, mi imbattei in un altro modello. Lo stava costruendo il fratello di mio padre, tutt'altro tipo, ci separano solo quattordici anni, nel suo laboratorio-terrazzo, non lontano da dove vivevo io.
Non riuscivo a capire perché, visto che la plastica era già grigio chiara, l'avesse ridipinta dello stesso colore prima di applicare le decalcomanie che era la fase che più mi affascinava.
Me lo spiegò e fece scivolare le pellicole bagnate sulle ali del piccolo aereo in scala 1/72.
Due bolli rosso vivo.
Era bellissimo.
Imparai cosa fosse, oltre il nome di un numero, uno Zero.
Si dice che per quanto un uomo possa volerlo cambiare, non sfuggirà mai al suo destino.
Io preferisco pensare che se lo costruisca, ma che certamente il concatenarsi degli avvenimenti e delle scelte giochino, assieme al caso, un ruolo determinante ed imprevedibile.
Sono ormai molti anni che il modo che ho scelto per comunicare è la pittura, e la fotografia, un mio mestiere precedente, sembrava non far più parte del mio linguaggio.
Forse non è così, perlomeno non per questa storia.
Non era mia intenzione cercare in giro per il mondo gli aeroplani che hanno segnato un'epoca e la Storia.
Non intendevo neppure lavorare su quelle immagini trattandole, non tecnicamente ma emozionalmente, come quadri.
Eppure è andata così e per il concatenarsi degli eventi ecco il risultato.
Ho letto che un giorno, un padre, volle aiutare le ambizioni del figlio e gli costruì delle ali di piume e cera.
Il figlio si avvicinò troppo al sole, la cera si sciolse ed egli precipitò in mare.
A me delle ali non le ha costruite nessuno perché "tanto non sarei arrivato da nessuna parte inseguendo sogni".
E allora me le sono costruite da me.

TP
In volo da qualche parte sull'Oceano Atlantico fra Miami e Parigi, Agosto 2010

Flight of Icarus

The wall of my room as an adolescent was, for a certain period, covered up with KISS posters: in the late '70s they were an honest-to-God Phenomenon.
Sure, not in Italy, but as luck would have it I met an American teen while camping and he showed me his KISS ARMY -the official fan club- albums.
Out of the blue, I saw the light that, years later and far away, would lead me to follow a dream.
Back then the term rock'n'roll wasn't as abused as it is nowadays, when any young MTV author throws it around to mean he had been out late, got back home a tad tipsy and with a chick's phone number.
My room wall was rock'n'roll.
That's were I day-dreamed, that's where my window on the world was, at the fourth floor of a two-roomed flat in Città Studi, Lambrate, Milano.
One day, tho, tragedy struck.
Something unthinkable.
My Italian and history teacher, a hag with a fake pouting mouth and unbearably red hair, summoned my father for a meeting. I clearly remember it was a Saturday.
I couldn't understand why she wanted to talk with my father instead of my mother who, maybe, would've listened to my side of the question with just a little bit more understanding.
This wasn't to be and, when we got back home, the inevitable happened.
In a fit of rage, my father tore down all the posters from the wall.
Each and every single one of'em, completely destroyed.
A heap of torn paper in the middle of the room.
Period.
The empty wall of my room was now a prison wall.
I spent weeks consuming myself, trying to find a balance between an uneasy infancy, now irremediably declining, and an adolescence which would be the foundation of the upcoming man-to-be.
On the wall, other than the small rips caused by the tape which kept my rock'n'roll and freedom dreams in place, small traces of what that wall was a few years before were still evident.
I had almost forgot about it, because it was a faded world which would resurface in my life only several years later.
That wall had been the scene for other dreams.
Sure not something that received support or had been nourished or that I could touch.
The reason why some trace remained there was because that's were my father used to hang, with a nylon thread, the models he was making.
I couldn't take part to the game because I would have dirtied around and was, generally, thought of as clumsy.
But I would stare at them for hours, trying to figure out the assembling and painting techniques.
Of course I couldn't fathom why they couldn't be played with but only observed and treated with a care unknown to me.
I vividly remember three of'em: a green and brown Mosquito, a night-fight Ju88 in grey camo with black squiggles and, some time later, an imposing 1:32 scale Spitfire.
I didn't know a thing about their history or names, but the illustrations in the boxes and the black & white war comics, which were very popular back then, introduced me to a world I was -unwittingly- already a part of.
Some time later, by sheer chance, I came across another model.
My father's brother -a completely different character with a mere 14 years age difference from me- was building it in his terrace/lab, not far from where I was living.
I couldn't understand why, since the plastic the model was made of was already grey, he had painted it in the same colour before applying the decals, the part that enthralled me the most.
He explained it all to me and let two thin wet films slip on the wings of the small 1:72 scale airplane.
Two bright red circles. It was beautiful.
There I learned what a Zero was, other than the name of a number.
It is said that, no matter how hard he tries, a man will never escape his destiny.
I'd rather think he can build it himself instead but, surely, the connection of events and choices play, together with chance, a decisive and unpredictable role.
It's been now many a year ago that I picked painting as my communication mean while photography, a former job, seemed not to be a part of my language anymore.
Maybe it's not like that, at least not for this story.
It wasn't my intention to look around the world for the aircrafts that marked an era and History.
I didn't even mean to work on those images handling them emotionally, instead of technically, as paintings.
And still, that's how it went and, because of the connection of events, this is the result.
I read that, once, a father wanted to help his son's ambitions and thus built him a pair of wings made out of feathers and wax.
The son flew too close to the sun, the wax melted away and he fell down into the sea.
Nobody ever built me any wings because "I would never go anywhere following my dreams".
Thus I built'em myself.

TP
In flight, somewhere over the Atlantic Ocean between Miami and Paris, August 2010

Verità

Mi sono accorto di Tom Porta quando un paio di anni fa mi mandò via email i suoi quadri, aveva dipinto dei kamikaze giapponesi: li aveva dipinti in modo strano, come se si ricordasse di loro. Cosa che ovviamente non era possibile. Che cosa era successo, allora?
E' successo che Tom Porta ha centrato la differenza che c'è tra la realtà e la verità. Nella "realtà" Tom Porta non poteva essere lì, ma nella "verità" (quella dei kamikaze, degli uomini e dei combattenti, della eroica tragedia di un popolo e di una cultura), sì. Perché la verità è il filo della collana nelle vicende umane, ne è l'anima invisibile, centrale; e, al contrario della semplice realtà, non si corrompe e non passa via col tempo.
Si nasconde ed è facile da nascondere e anche da mistificare; ma in sé non muta, ed è visibile a chi è sincero.

Questo è il dono di Tom Porta, uno schermo in sedici-noni per le cose che ritrae. Lo fa nei quadri e lo fa, usando la tecnica opposta, nella fotografia. Così, come gli aerei e i piloti che ritrae sulle tele partono dal sentimento degli oggetti e delle espressioni, cui il pittore giustappone la precisione dei particolari, una manciata di tecnica "realtà" sparsa a rassicurare chi li guarda, "badate, credetemi che è tutto vero" - ecco, invece gli aeroplani fotografati, che vedrete nelle prossime pagine, sono una specie di quadri a rovescio: partono dalla lamiera e dai rivetti che l'obiettivo può solo stampare nel loro oggettivo gelo e poi vengono dall'artista letteralmente trascinati, attraverso una magnifica falsificazione, nella verità: che racchiude la fatica, l'avventura, il dolore, l'ingegno, l'epica, il sogno e il sangue di un aeroplano da guerra. Arthur Schopenhauer aveva chiamato questa matassa di energia Volontà e Rappresentazione.

Tom Porta è un uomo grande e grosso, che a vedersi ha tutto della crudità del biker, ma va in giro anche in scooter e dipinge prima di tutto col pensiero: dentro ha una libertà capace di molte cose. Nel suo lavoro, ugualmente alla tela e all'obiettivo, c'è una profonda coerenza (in qualche modo salvifica) in grado di manipolare e sintetizzare fino all'indispensabile la complessità di fatti lontani dentro oggetti inanimati o non più esistenti, colti sull'orlo di rotolare in una sciarada di contraddizioni:
ma la nostra vita di uomini, al fondo, non è forse nient'altro che questo?

Giuseppe Braga
Direttore Responsabile di Volare

Truth

I noticed Tom Porta when he emailed me a few scans of his works a couple of years ago.
He painted some Japanese kamikaze in a strange way, as if he remembered them, something that was -of course- impossible.
What had happened then?
What happened is that Tom Porta scored a direct hit on the difference between reality and truth. In "reality" Tom Porta couldn't be there, but in "truth" (of kamikazes, men, fighters and the heroic tragedy of a people and culture), he did. Because truth is the red thread of human vicissitudes, its invisible and central soul and, contrarily to simple reality, it doesn't corrupt nor fades away with time.
It sneaks away and it's easy to hide and mystify, but it doesn't actually change and remains visible to the sincere.

This is Tom Porta's gift, a 16:9 screen for whatever he portrays. He does it with paintings and he does it, using the opposite technique, with photography.
Thus, just like the aircrafts and pilots he renders on canvas are born out of the feelings for objects and expressions, to which the artist juxtaposes the details' accuracy, a handful of technical reality scattered to reassure the viewer -"behold, it's all true"-, the photographed airplanes that you'll see in the next pages, are a sort of reversed paintings: they start as plates and rivets that the lens can only report in their objective chill and are then literally dragged from the artist, through a magnificent forgery, to the truth which holds the exertion, the adventure, the pain, the genius, the epic, the dream and the blood of a combat aircraft. Arthur Schopenhauer called this tangle of energy "Will and Representation".

Tom Porta is a big hunk of a man with all the visual rudeness of a biker, but he also zips around on a scooter and paints, first of all, with his mind: he holds inside him a freedom fit for many a thing.
A deep, somehow redeeming, coherence permeates both his canvas and lens work, manipulating and synthesizing to the bone the complexity of far away events inside objects both inanimate or not anymore existent, caught on the edge of rolling away in a charade of contradictions.
But isn't the life of men nothing else but this?

Giuseppe Braga
Editor in Chief - Volare

WARNING:
REMOVE SHELLS
AFTER EACH FLIGHT

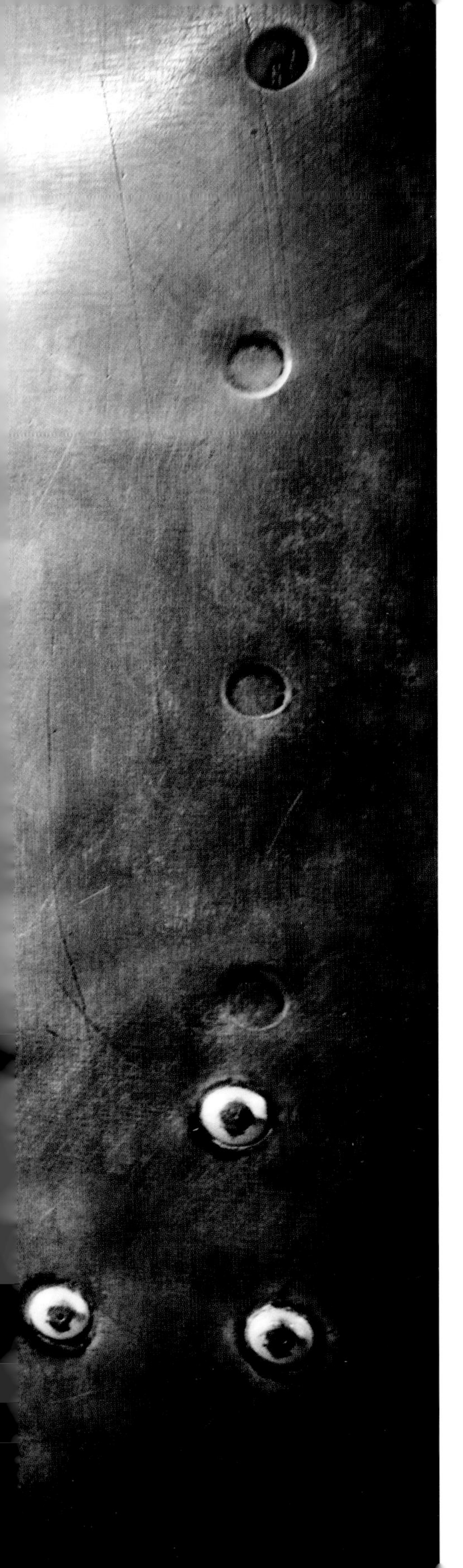

Legacy

When I first saw Tom Porta's photographs, I was immediately struck by the intensity of the images. As a successful artist, writer and musician, I knew Tom saw the world from a different perspective than most of us. But even that didn't prepare me to be so moved by his vision of aviation history.

As vice president /general manager of Planes of Fame Air Museum in Chino, California, I was very familiar with the aircraft that were his subjects. I was also familiar with the work of many fine aviation photographers.
But nearly all of them specialized in calendar-type photography- perfect pictures of beautifully restored aircraft, photographed on nice sunny days.
It didn't take me long, however, to realize that Tom Porta wasn't satisfied to take calendar shots. Clearly, he was seeking to access something deeper. After all, these weren't photos of Cessnas or Gulfstreams. These were aircraft with a past, and a shiny new skin could never obscure a history so rich in both triumph and tragedy.

Like all artists, Tom's stock-in-trade is to see what others overlook, to capture the essence of something that eludes the rest of us. With these photographs, he has done just that. He has succeeded in looking beyond the aluminum, steel and paint portrayed by the calendar photographers, to capture the true soul of these aircraft- a soul that is inseparable from the men that flew them in combat.
These images are powerful because they embrace, rather than gloss over, the context with which these planes were created and flown.
They pay tribute to the men who took them into battle, and they capture the emotion of an era that was routinely characterized by desperate life and death struggles. To do anything less is to only tell half the story.
If art is defined by the ability to stimulate thought and emotion in a way that can be shared with others, then these images most certainly rise to the level of art. And unlike most aviation photography, they will continue to have meaning for many years to come because the stories they tell are timeless, and the feelings they evoke are universal.
As you view these photographs, don't be surprised if you feel like you're looking back through a crack in time and can hear the distant echoes of history calling.
It's not your imagination - it's the power of great photography!

William E. Hamilton
Former Planes of Fame General Manager

Eredità

La prima volta che vidi le fotografie di Tom Porta fui immediatamente colpito dalla loro intensità. Tom è un artista di successo, uno scrittore e un musicista, per cui sapevo bene che vedeva il mondo da una prospettiva diversa da quella di quasi tutti noi. Cosa che non mi impedì di rimanere così impressionato dalla sua visione della storia dell'aviazione.
In qualità di Vice Presidente/General Manager del Planes of Fame Air Museum di Chino, California, conoscevo bene gli aeroplani da lui ritratti e mi erano altresì familiari i lavori di molti ottimi fotografi di aerei. Quasi tutti però specializzati in foto "da calendario", immagini perfette di aeromobili splendidamente restaurati e immortalati durante luminose giornate di sole.
Non mi ci volle molto per realizzare che Tom Porta non era soddisfatto di questo tipo di immagini. Stava chiaramente cercando di arrivare a qualcosa di più profondo. Dopotutto queste non erano foto di Cessna e Gulfstream: qui si trattava di aerei con un passato, e una nuova pelle luccicante non avrebbe mai potuto nascondere una storia così ricca sia di trionfo che di tragedia.
Come per tutti gli artisti, il compito di Tom è vedere ciò che gli altri trascurano, catturare l'essenza di qualcosa che sfugge a quasi tutti. Proprio quello che ha fatto con queste fotografie.
È riuscito a guardare oltre l'alluminio, l'acciaio e la vernice rappresentati dai fotografi "da calendario", catturando la vera anima di questi aerei, un'anima inseparabile dagli uomini che li hanno fatti volare in combattimento. Queste immagini sono potenti perché scavano - invece che sorvolare - nel contesto in cui questi mezzi sono stati costruiti e pilotati. Onorano gli uomini che li hanno portati in battaglia e catturano l'emozione di un'epoca che fu costantemente caratterizzata da vite disperate e lotte mortali.
Se così non fosse, verrebbe narrata solo metà della storia.
Se l'arte è definita dall'abilità di stimolare pensieri ed emozioni in un modo che può essere condiviso con gli altri, allora queste fotografie sono sicuramente arte. E, contrariamente alla maggior parte delle foto dedicate all'aviazione, continueranno ad avere un significato negli anni a venire, perché le storie che raccontano sono senza tempo e i sentimenti che evocano sono universali.
Mentre guardate queste immagini, non siate sorpresi di sentirvi come se steste osservando il passato attraverso una crepa del tempo, ascoltando il richiamo dei lontani echi della storia. Non è la vostra immaginazione, è il potere della grande fotografia.

William E. Hamilton
Ex Direttore Generale del Planes of Fame

Wood & Fabric

Fokkers, Spads, Sopwiths, Bristols, Nieuports ...

ARRÊT
POMPE MAIN
POMPE MOTEUR
INCENDIE
OIL
P.S.I.

COMPANY LIMITED

BOLZANO 26
FRANZENFEST
INNSBRUK -
FIUME-MILAN
FIUME BOLOG

Blazing Angels

Spitfires, Hurricanes, Mustangs, Gustavs, Zerstorers ...

EMERGENCY CANOPY RELEASE
F-AZJS
KNOTS
UP
RPM
IDLE CUT OFF
OFF ON
UP

UM E

TL B
B ZD

AE

R
24 VOLTS

K8203

61
K36

ROLLS-ROYCE

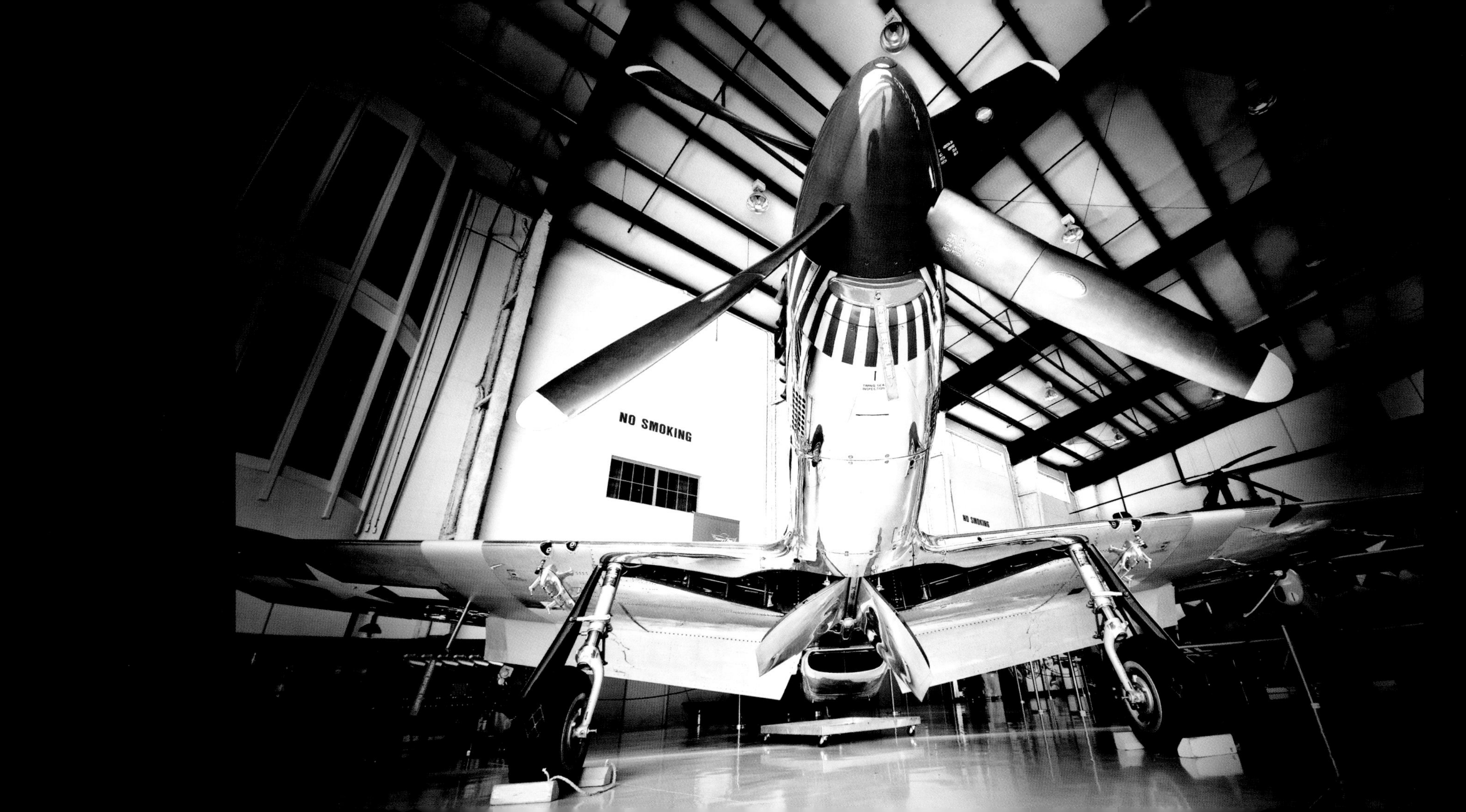
NO SMOKING
NO SMOKING

CRAZY HORSE 2

HELL-ER BUST
CAPT. E.L. HELLER
MX
PZ

472218
Big Beautiful Doll

Lady Alice
AAF SPEC. PROJ. NO. 97940-R
U.S. ARMY P-51D-25-NT
SERIAL NO. AAF 45-11633

HAMILTON STANDARD
PROPELLERS

AAF SPEC. PROJ. NO. 96153
U.S. ARMY P-51 D-25-NA
SERIAL NO. AAF 44-74202
TE CONTROL
OMPASS

"INA The Macon Belle"
U.S. ARMY P-51C-10-NT
SERIAL NO. AAF 42-103831
CREW WEIGHT 200 LBS.
AAF SPEC. PROJ. NO. 32792-N
SERVICE THIS AIRPLANE WITH
GRADE 100/130 FUEL. IF NOT
AVAILABLE T.O. 06-5-1 WILL BE
CONSULTED FOR EMERGENCY ACTION.
SUITABLE FOR AROMATIC FUEL
PILOT L. A. Archer
C/C R. Blevins
ARM. W. De Fore

Princess ELIZABETH

U.S.
51D-25 N.A.
AAF 44-73751
LBS.
WITH
GRADE 10
FUEL. IF NOT
AVAILABLE
00-5-1 WILL BE
CONSULTED
EMERGENCY ACTION
SUITABLE
FUEL
FIRST AID KIT

413704
B7
H
124485
DF
A

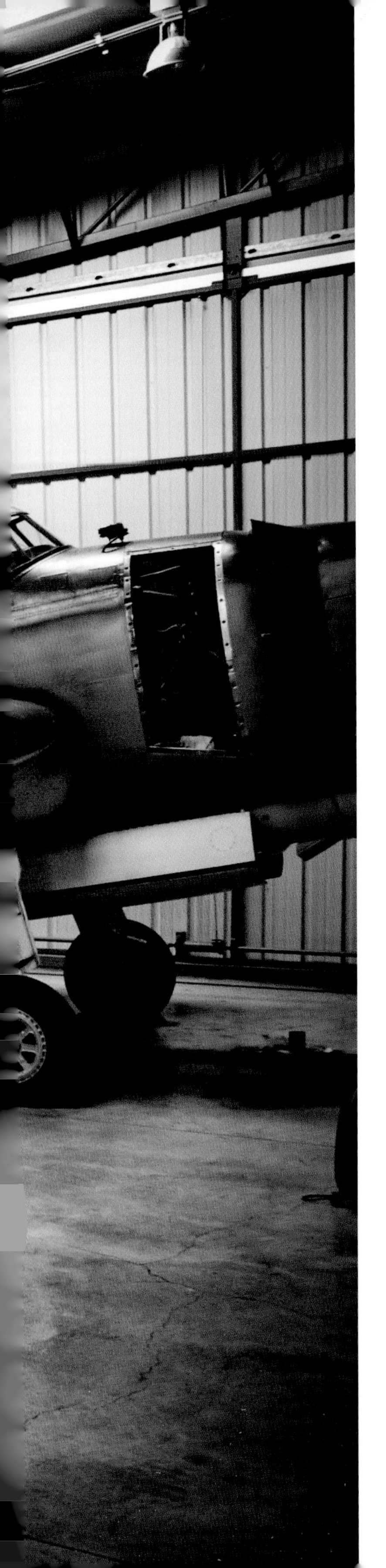

799
799

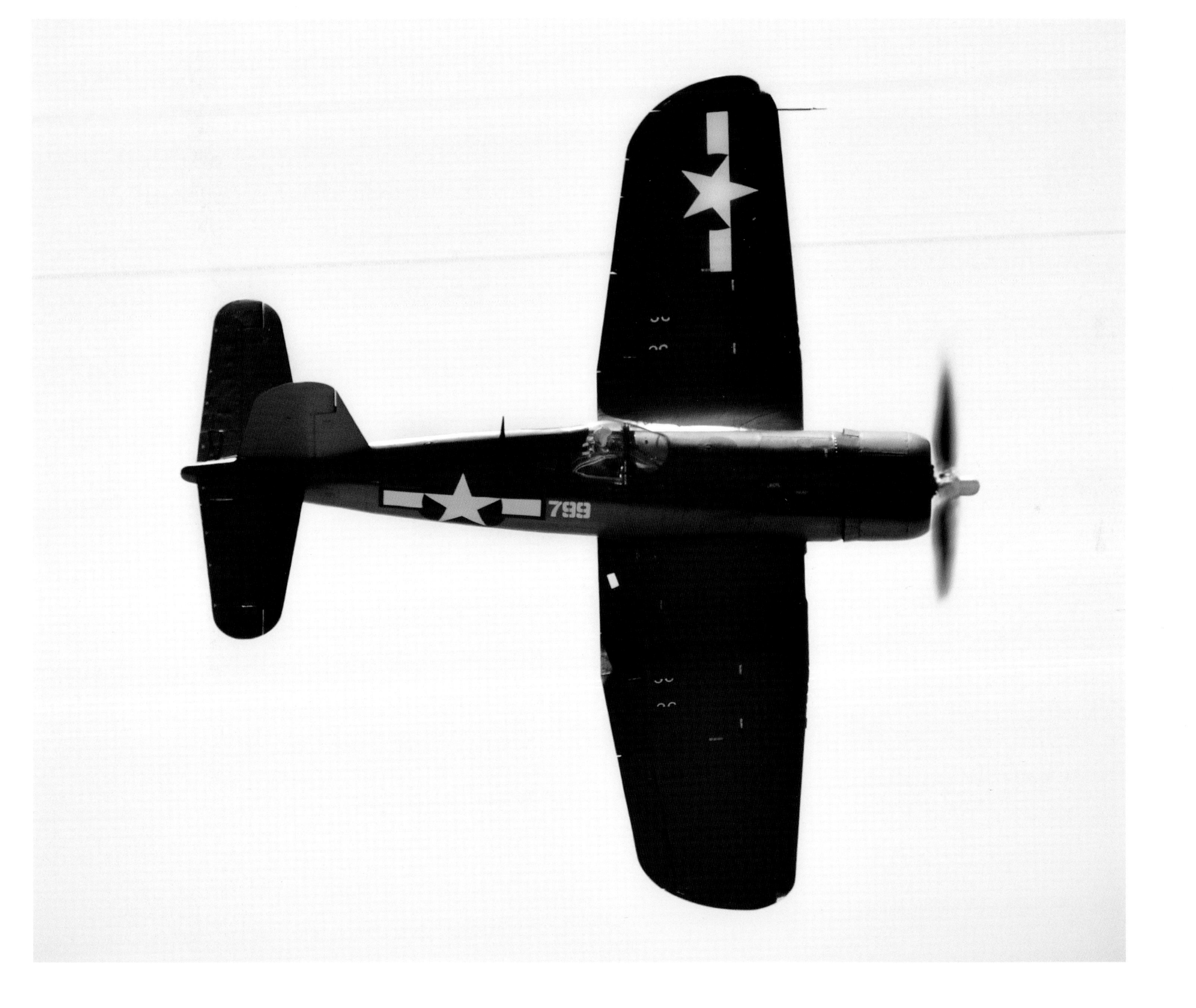
799

MARINES

X 2
2

4.F6
6

46

79

113521

S UE

STEP

426981

61-120

NX46770

39

SWL 3,000 KG

滿載量
170立

高度計

VF

Federbein Solldruck
iber 4600 kg 32 35 40 48 54 64 70
is 4600 kg 7 30 34 38 53 58
Reifendruck 5.5 atü

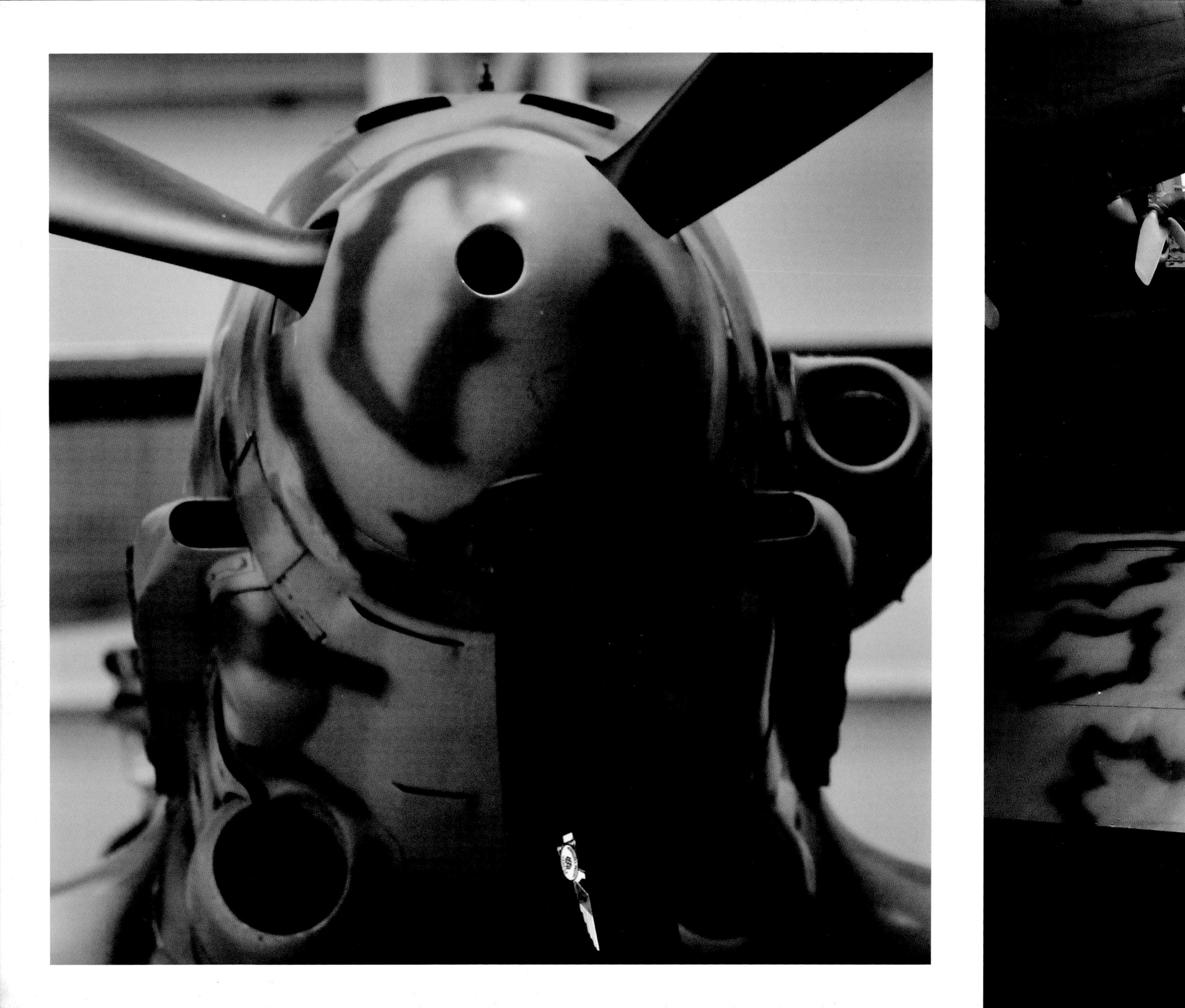

D-EPRN

9
915

06
100

HAMILTON STANDARD
HAMILTON STANDARD

6

Heavies

Fortresses, Doolittle Raiders, King's Beau, Lancs ...

14

J

J
48846
M
M

CY D
J
297849
O
DI

J
48846
M
M
DS

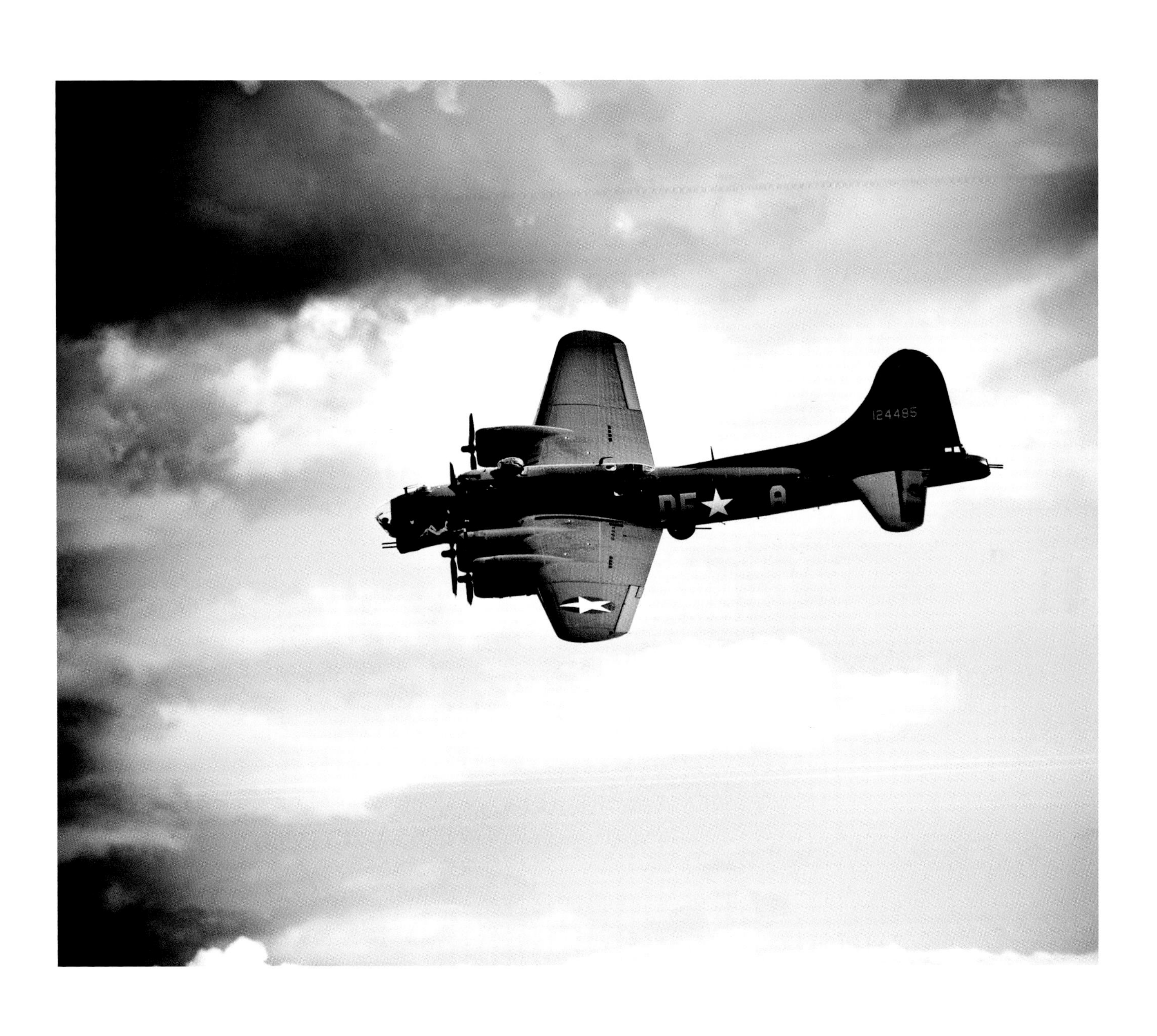
124485

K
297400

U.S. ARMY
B17G-45-BO
SERIAL NO.
LBS

Owners, Pilots.
Tony Ritzman.
Carl Scholl.
John Paul.
14

WORLD WAR II
VETERAN
NO
STEP

B-25J
B-25J

RPLANE
DO NOT REMOVE FROM A

BARLOW

THE
DENBIGH

S
NO ENEMY
OVER THE

F/O MC MANU

CENTAURUS ENGINE
A.M. No
DATE
CO. LTD., ENGLAND.
AVIATION BRISTOL

PACIFIC
FOUR
O
FOUR

EXIT ONLY

Workhorses

Skytrains, Tanten, Dragons, Cubs, Storches ...

D-DAY DOLL

LN-WND

ADS

2429
US ARMY

US ARMY

Supersonics

Fagots, Fishbeds, Phantoms, Eagles ...

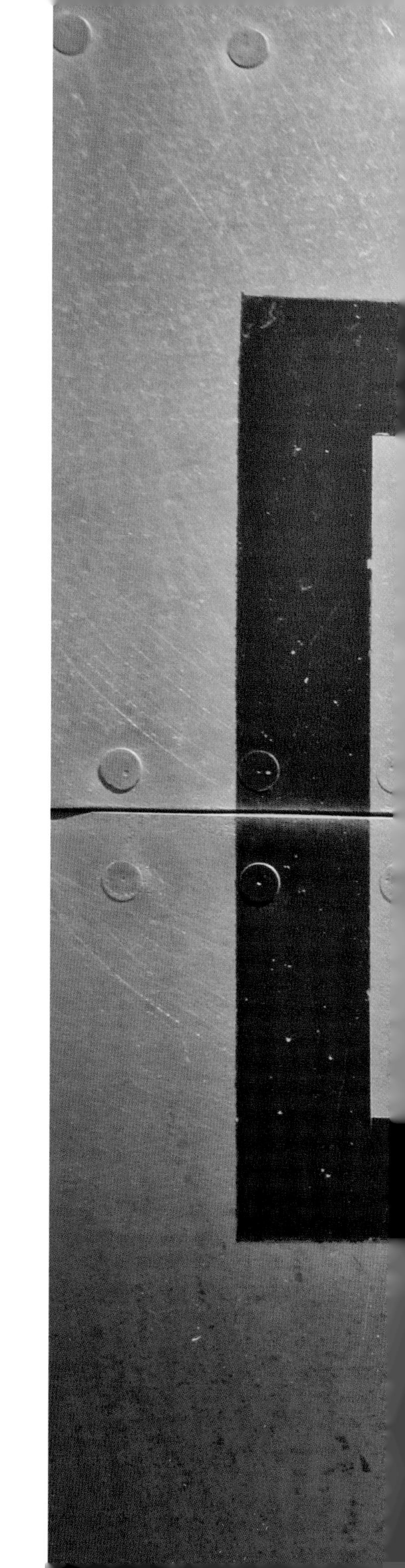

BEWARE OF
JET BLAST

1301

1051

1051

U.S. AIR FORCE
25012
FU-012
1051

U.S. AIR FORCE
8178
FU-178

JA-111

25 52

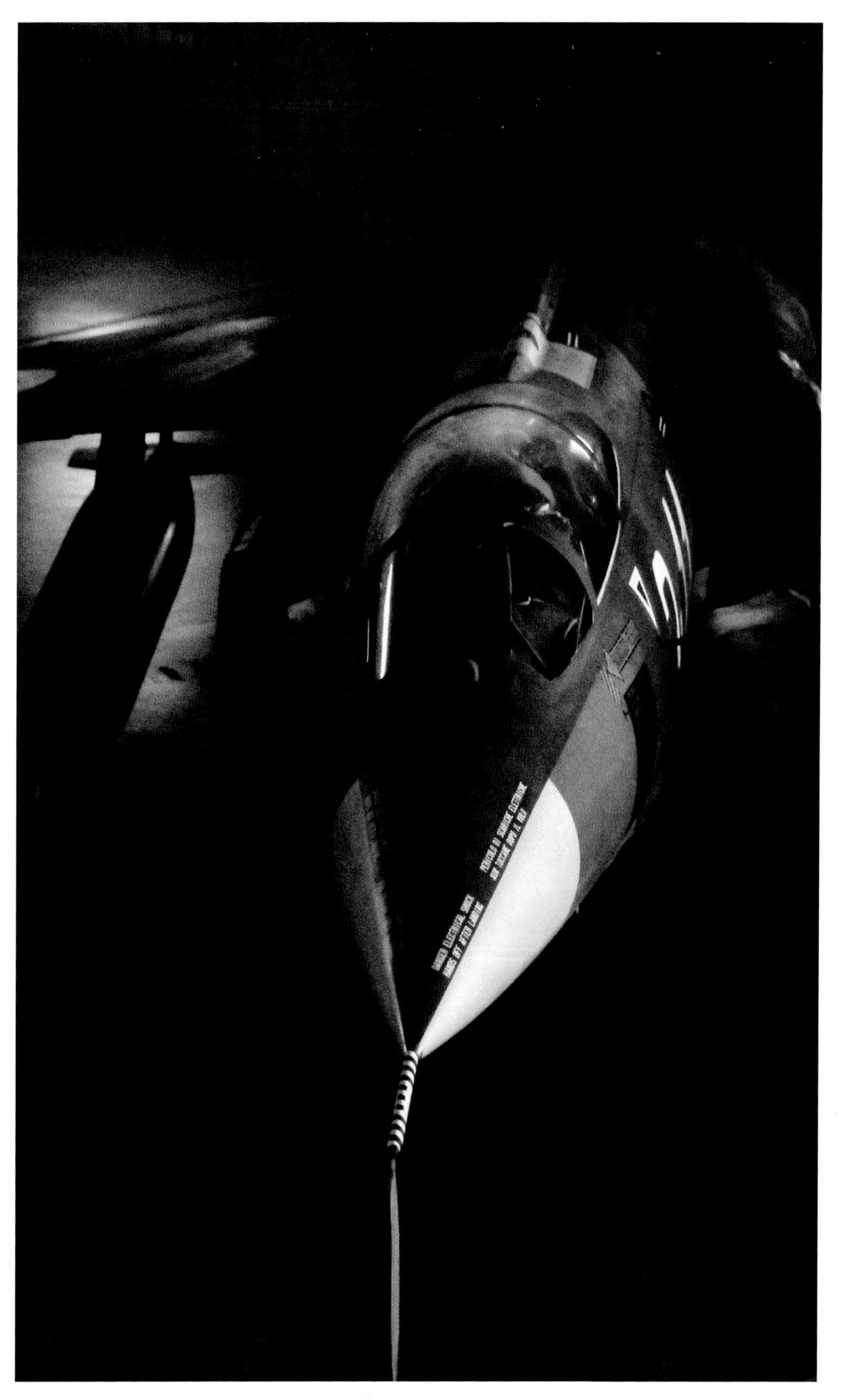

XH558

USAF
U.S. AIR FORCE

Tom Porta non è un fotografo.
Più precisamente non si ritiene tale nonostante abbia pubblicato negli anni centinaia di immagini sulle più prestigiose riviste di moto, auto, musica, glamour e aeroplani.
Tom è un pittore con un solido percorso che lo ha portato in pochi anni ad essere presente in importanti collezioni, in aste da Sotheby's a Christie's ed indicato come uno dei più interessanti artisti italiani contemporanei.
Uno dei suoi cicli, The Shinpu Tokkotai Project, ha toccato in modo nuovo e profondo il fenomeno dei piloti Kamikaze giapponesi, dal 2003 al 2007.
Nel suo albero genealogico ci sono due piloti, uno di SM79 ed uno di Macchi 202, entrambi sopravissuti alla guerra.
Nel suo studio fra colori, pennelli, tele, centinaia di libri, vi si possono trovare oggetti di memorabilia aeronautica: un modello di Spitfire costruito con l'alluminio di uno Junker abbattuto, una bandiera con firme autografe di decine di piloti giapponesi, firme autografe di assi della Seconda Guerra Mondiale e pezzi di motori e fusoliere.

Il tutto nel più rigoroso disordine creativo.

Tom Porta is not a photographer.
More precisely, he doesn't see himself as such even tho he published hundreds of images over the years on the most prestigious motorbike, car, music, glamour and airplane glossies.
Tom is a painter with a solid course which brought him, in just a few years, to find a place in the most important collections, in auctions such as Sotheby's and Christie's and to be noticed as one of the most interesting contemporary Italian artists.
One of his series, The Shinpu Tokkotai Project, handled -from 2003 to 2007- the Japanese kamikaze pilots phenomenon in a new and deeper way.
His family tree includes two pilots, one on SM79s and one of Macchi 202s, both of whom survived the war.
Among the colours, brushes, canvasses and hundreds of books crowding his studio, it's easy to spot aviation memorabilia: a Spitfire model forged out of the aluminium from a shot-down Junker; a flag hand-signed by dozens of Japanese pilots; autographs by WWII flying aces; parts of engines and fuselages.

All in a most rigorous creative disorder.

Ph. Dario Fumagalli

L'Autore ringrazia le Istituzioni, i Musei, le collezioni private e i piloti che hanno reso possibile la realizzazione di questo volume.
The Author would like to thank the Institutions, the Museums, the private collections and the pilots who made all this possible.

L'Aeronautica Militare Italiana ed il Museo Storico di Vigna di Valle, Roma, Italia
The Imperial War Museum and the Fighter Collection, Duxford, UK
The Royal Air Force Museum, Hendon, UK
The Planes of Fame Air Museum, Chino, California, USA
The Planes of Fame Air Museum, Valle, Arizona, USA
The Fantasy of Flight Museum, Orlando, Florida, USA
The Kissimmee Air Museum, Kissimmee, Florida, USA
The Stallion 51, Kissimmee, Florida, Usa
The Luftwaffe Museum, Berlin, Germany
Letecké Muzeum Kbely, Prague, Czech Republic

This work wouldn't have been possible without the help of Enrico Salvini and Dario Fumagalli. A special thank you to both of 'em.
Questo lavoro non sarebbe stato possibile senza l'aiuto di Enrico Salvini e Dario Fumagalli. A entrambi un ringraziamento speciale.

ISBN: 88902347-4-1

Photographs: Tom Porta - www.tomportapaintings.com
Graphic design: MasterStudio (MN) - Italia
Print: Litocolor (RE) - Italia
First edition: Novembre 2010

www.ponchirolieditori.com